Mae'n ddiwrnod cyffrous heddiw.
Mae'r ffair wedi dod i Stryd y Rhifau!
Allwch chi weld y stondinau a'r olwyn
fawr? Mae sŵn cerddoriaeth yn
llenwi'r awyr.

"Dewch i ni weld beth sydd yn y ffair!" meddai Cati Chwech. Dyma nhw'n clywed sŵn rhochian. "Beth ydy'r sŵn yna?" holodd Sami Saith.

"Dw i'n gallu gweld pum mochyn mewn lloc," meddai Nia Naw.

Mae'r moch mewn rhesi yn y lloc. Mae pob un yn gwisgo siaced lliw gwahanol. Un goch, un felen, un las, un werdd ac un borffor.

"Beth sy'n mynd i ddigwydd, tybed?"
holodd Sami Saith.
"Maen nhw'n rasio'r moch!" meddai Nia
Naw.

Yn sydyn, dyma ddyn wrth y lloc yn chwythu chwiban. Mae'r sŵn yn uchel iawn. Mae'r ras wedi dechrau.

Mae'r rhifau wedi cyffroi'n lân, ac yn gweiddi ar y moch.

"Dw i eisiau i'r un mewn siaced goch ennill!" meddai Cati. Fo sydd ar y blaen.

"Yr un mewn siaced las yw fy ffefryn i," meddai Sami Saith. Mae o'n ail ar hyn o bryd.

Mae Nia Naw yn hoffi'r mochyn mewn
siaced borffor.
"Ty'd yn dy flaen!" gwaeddodd Nia arno.
Ei mochyn hi sy'n drydydd.

Mae'r moch bron â chyrraedd y llinell derfyn. Mae'r un mewn siaced werdd yn bedwerydd. Y mochyn mewn siaced felen sydd yn y cefn. Fo sy'n bumed.

Ond ust, edrychwch! Mae'r mochyn yn y cefn yn cyflymu. Mae'n pasio pob un o'r lleill.

Bobol bach! Mae'n ras agos. Y mochyn mewn siaced felen sy'n ennill. Hwrê! Mae'r rhifau'n gweiddi'n hapus.

Ydych chi'n hoffi rasio? Pwy ydych chi'n meddwl fydd yn dod gyntaf, ail, trydydd, pedwerydd, pumed, chweched, seithfed, wythfed, nawfed a degfed yn y ras hon?